UNIVERSALE
ECONOMICA
FELTRINELLI

GW00992301

Pino Cacucci (1955) ha pubblicato *Outland rock* (Transeuropa, 1988, premio MystFest; Feltrinelli, 2007), *Puerto Escondido* (Interno Giallo, 1990, poi Mondadori) da cui Gabriele Salvatores ha tratto il film omonimo, la biografia di Tina Modotti *Tina* (Interno Giallo, 1991; Feltrinelli, 2005), *San Isidro Futból* (Granata Press, 1991; Feltrinelli, 1996) da cui Alessandro Cappelletti ha tratto il film *Viva San Isidro* con Diego Abatantuono, *La polvere del Messico* (Mondadori, 1992; Feltrinelli, 1996, 2004), *Punti di fuga* (Mondadori, 1992; Feltrinelli, 2000), *Forfora* (Granata Press, 1993), poi ampliato in *Forfora e altre sventure* (Feltrinelli, 1997), *In ogni caso nessun rimorso* (Longanesi, 1994; Feltrinelli, 2001), *La giustizia siamo noi* (con Otto Gabos; Rizzoli, 2010). Con Feltrinelli ha pubblicato inoltre: *Camminando. Incontri di un viandante* (1996, premio Terra – Città di Palermo), *Demasiado corazón* (1999, premio Giorgio Scerbanenco del Noir in Festival di Courmayeur), *Ribelli!* (2001, premio speciale della giuria Fiesole Narrativa), *Gracias México* (2001), *Mastruzzi indaga* (2002), *Oltretorrente* (2003, finalista premio letterario nazionale Paolo Volponi), *Nahui* (2005), *Un po' per amore, un po' per rabbia* (2008, uscito nell'Universale economica in due volumi dal titolo *Vagabondaggi*, 2012, e *La memoria non m'inganna*, 2013), *Le balene lo sanno. Viaggio nella California messicana* (2009, premio Emilio Salgari 2010), *¡Viva la vida!* (2010; "Audiolibri - Emons Feltrinelli", 2011), *Nessuno può portarti un fiore* (2012, premio Chiara), *Mahahual* (2014) e, nella collana digitale Zoom, *Tijuanaland* (2012), *Colluttorius* (2012) e *Campeche* (2013). Per Feltrinelli ha curato anche *Latinoamericana* di Ernesto Che Guevara e Alberto Granado (1993) e *Io, Marcos. Il nuovo Zapata racconta* (1995). Ha tradotto in Italia numerosi autori spagnoli e latino-americani, tra cui Claudia Piñeiro, Enrique Vila-Matas, Ricardo Piglia, David Trueba, Gabriel Trujillo Muñoz, Manuel Rivas, Carmen Boullosa, Maruja Torres, Carlos Franz, Manuel Vicent.

PINO CACUCCI
¡Viva la vida!

© Giangiacomo Feltrinelli Editore Milano
Prima edizione ne "I Narratori" ottobre 2010
Prima edizione nell'"Universale Economica" gennaio 2014
Quarta edizione agosto 2014

Stampa Nuovo Istituto Italiano d'Arti Grafiche - BG

ISBN 978-88-07-88349-1

www.feltrinellieditore.it
Libri in uscita, interviste, reading,
commenti e percorsi di lettura.
Aggiornamenti quotidiani

razzismobruttastoria.net

¡Viva la vida!

La pioggia...
Sono nata nella pioggia.
Sono cresciuta sotto la pioggia.

Una pioggia fitta, sottile... una pioggia di lacrime. Una pioggia continua nell'anima e nel corpo.

Sono nata con lo scroscio della pioggia battente.

E la Morte, la Pelona, mi ha subito sorriso, danzando intorno al mio letto.

Ho vissuto da sepolta ancora in vita, prigioniera di un corpo che agognava la morte e si aggrappava alla vita.

Molte volte sono stata sigillata dentro bare di ferro e di gesso, ma... io resistevo, ascoltavo il mio respiro e maledicevo il lerciume del mio corpo devastato.

Ho imparato nella pioggia a sopravvivere: alla barbarie di una vita spezzata, a me stessa dolorante e, infine, a Diego.

Diego è come la mia vita: un lento avvele-
namento senza fine, tra gioie di sublime intensità e abissi di angosciosa disperazione.

Eppure... amo la vita quanto amo Diego. E
a volte, confondo l'odio per questa vita d'inferno con l'odio per Diego che mi trascina al-
l'inferno e poi mi aiuta a uscirne. Lui mi ha ri-
dato la forza per superare l'angoscia e nell'angoscia mi ha risprofondato mille volte. Ma so
che l'angoscia è dentro di me: Diego è solo la
scintilla che la scatena.

Ogni giorno, ogni notte... Ho amato Diego.
L'ho odiato. È stato la causa e l'effetto. Il sole
e la luna. Il giorno e la notte.

Diego, la mia vita e la mia morte. La mia ma-
lattia, la mia guarigione. La mia coscienza. Il
mio delirio. La linfa più dolce, il deserto più
desolato. La mia arsura e la mia pioggia. La fede in me stessa e il disprezzo per come mi sono lasciata martoriare senza porre un limite.

Sono stata al mio funerale nella lieve pioggia di un tardo pomeriggio, su un autobus che
mi riportava a Coyoacán.

Pioveva all'angolo di quella strada, pioveva
sull'incrocio della mia vita.

Avenida Cinco de Mayo. L'immensa piazza
dello Zócalo. Il mercato di San Juan.

Non avrei dovuto essere su quell'autobus. Ero già salita su un altro, stavo tornando a casa, quando il destino ha preso la forma di uno stupido ombrellino da passeggio. Un parasole. Dimenticato chissà dove. E sono scesa, sono tornata indietro. Non ricordo più nemmeno se l'ho ritrovato, quell'ombrellino... E così, sono salita sul mio carro funebre. All'angolo del mercato di San Juan, un tram ci è venuto addosso, ci ha speronato, si è avvinghiato a noi. Non è stato uno scontro, piuttosto un lento divorarci. Ricordo questa lentezza assurda, irreale: il tram ci schiacciava contro un muro e l'autobus si contraeva, si ritraeva in se stesso, si comprimeva... Non ho avuto paura. Era tutto così assurdo che non si poteva aver paura. Quel che stava accadendo non aveva senso.

Poi, all'improvviso, il mondo è esploso. L'autobus per Coyoacán, per la Casa Azul, si è disintegrato. E io, un attimo o un secolo dopo, ero una ballerina coperta di sangue e di oro.

"La ballerina, la ballerina!" sentivo la gente che gridava. Non provavo niente, non mi rendevo conto della situazione, non mi faceva male da nessuna parte perché mi stavo staccando dalla vita. Però mi stupiva che mi chiamassero "la ballerina"... Prima dell'apocalisse, accanto a me se ne stava seduto un artigiano con un sac-

9

chetto di polvere d'oro in grembo. Dopo, ero completamente nuda e ricoperta d'oro. La ballerina dorata in mezzo ai cadaveri. Mi hanno adagiata sopra un tavolo da biliardo. E a quel punto, qualcuno ha visto.

Un corrimano di quattro metri mi era entrato nel fianco. Mi aveva trafitto come la spada trafigge il toro. Mi aveva impalata. La punta scheggiata mi usciva dalla vagina. Sono stata stuprata da un corrimano a diciott'anni, su quell'autobus che avrebbe dovuto uccidermi sotto una pioggia d'oro.

Un uomo me l'ha strappato con un gesto deciso. Non saprò mai se mi ha salvata o condannata. Ma... è stata *comunque* una condanna.

In quell'attimo ho lanciato un urlo così forte che ha percorso interi isolati, ha gelato la grande piazza bagnata di pioggia, ha risvegliato la selva di spettri che popola le viscere della distrutta Tenochtitlán e ha fatto battere i denti ai teschi del Templo Mayor. Un urlo così forte da mettere in fuga la Pelona, la Cagna Spelacchiata, la Morte che mi stava danzando intorno e che sarebbe diventata mia compagna inseparabile.

Quel 17 settembre 1925, la Morte mi ha fissato negli occhi, ha osservato il mio corpo nudo, insanguinato, coperto di polvere d'oro, e quando stava per protendere le braccia verso di me, quando ho sentito il suo alito gelido... ho lanciato quell'urlo che non poteva uscire dalla gola di una moribonda, un urlo di rabbia, un urlo di amore per la vita che non volevo abbandonare a diciott'anni, ho urlato il mio "*¡Viva la vida!*", e la Pelona, assordata, è rimasta stupefatta almeno quanto i vivi che mi si accalcavano attorno.

Non potevo essere ancora viva. Non era possibile che fosse ancora vivo quel corpo trapassato da parte a parte, oscenamente impalato e ipocritamente ricoperto d'oro, con la spina dorsale spezzata in tre, e due costole, la spalla e la gamba sinistre frantumate, un lago di sangue, uno scempio... Eppure, da questo mio corpo devastato si è sprigionato l'urlo rabbioso della vita.

Ho sempre preso la vita a morsi. Quel giorno, le ho piantato addosso i denti e anche le unghie. In ospedale non credevano ai loro occhi... Più che un'operazione, hanno dovuto fare un collage, un rompicapo per chirurghi senza fretta. Sono rimasta immobile per un mese, in quell'ospedale di calle San Jerónimo. Trenta giorni di tortura silente, le trecce inzuppate di lacrime, mille ore, milioni di minuti e secondi, l'eternità chiusa in un sarcofago di gesso e ferro, un sudario putrido di infezioni e sangue rappreso, di ferite che non si rimarginavano e cancrene immonde.

Poi, altri mesi confinata nel mio letto della Casa Azul, la mia casa blu, da cui dicevano che non mi sarei più mossa.

In quelle giornate eterne, ho cominciato a dipingere. Potevo muovere soltanto le mani. Potevo vedere soltanto me stessa: la mia faccia riflessa in uno specchio. La pittura è diventata l'unica ragione per aspettare l'alba, l'alba che sembrava non arrivare mai... Oggi, la sola cosa che so è che dipingo perché ne ho bisogno e dipingo tutto quello che mi passa per la testa, senza chiedermi che senso abbia. Ho cominciato dipingendo me stessa perché non c'era nessun altro e nient'altro intorno a me. Ma era la mia faccia, in quello specchio? O era la Pelona che si incarnava in me, che mi entrava dentro fino a fondersi e sciogliersi in questa eterna stagione delle piogge che è la mia vita?

E poi, un giorno, ho ripreso a camminare. Un miracolo, hanno detto tutti. No, macché miracolo. La vita aveva scelto di assassinarmi lentamente, anche riprendere a camminare faceva parte del lento morire di ogni giorno. Perché la vita che tanto amavo mi negava il diritto di dare la vita. Mi permetteva di assaporare quella altrui, ma non di generarla nel mio ventre lacerato.

Per quattro volte ho concepito il figlio e la figlia che avrei voluto, ma la vita li ha assassinati quando stavano cominciando a muoversi dentro di me. Ho irriso la Pelona, ho urlato in faccia alla Morte la mia ostinazione a vivere. Ma lei, vigliacca, si è presa quattro figli e mi ha lasciato in cambio la solitudine immensa, infinita, desolata e annichilente dei miei giorni di lacrime.

Ho contato gli anni della mia vita con il mutare delle protesi sul mio corpo, dei busti in gesso e acciaio che ho dipinto e decorato con mille colori come fossero armature per affrontare battaglie carnevalesche, bare variopinte per una farsa di funerale. I miei giorni sono stati scanditi dalle operazioni chirurgiche finite come altrettante battaglie perse di una guerra che non mi concede tregua, nell'alternarsi delle infermiere, con le luci smorte e gli odori delle camere degli ospedali.

L'arte, la politica, il sesso... Quanta passione ci ho messo, credendoci con tutta me stessa. Ma alla fine era, ed è, soltanto il mio modo di distrarre la Pelona, di irridere la Morte, di beffarla e corteggiarla, di scendere a patti con lei, perché ogni tanto vorrei che mi prendesse tra le braccia per darmi requie, un po' di sollievo al dolore... Il sollievo definitivo.

La pittura, gli ideali, la fede in una rivoluzione che sarà sempre come i figli che non ho avuto: abortiti prima di vedere la luce. E tra un aborto e l'altro, morfina e alcol mi hanno cullato nelle notti insonni, nei giorni di tormento: la morfina per i dolori del corpo, l'alcol per i dolori dell'anima. Morfina e alcol insieme, una tregua tra una battaglia persa e l'altra. Chissà, forse la resa sarebbe più dignitosa di una resistenza indecente. Ma chi lo ha stabilito che io debba guerreggiare ogni giorno e ogni notte di questa vita assassina? Per cosa e per chi dovrei lottare? E qual è il limite tra la sofferenza dignitosa e l'indecenza?

La morte può essere crudele, ingiusta, traditrice... Ma solo la vita riesce a essere oscena, indegna, umiliante.

[*si ferma ad ascoltare un rumore, un'eco lontana. Annuisce, con un sorriso malinconico*]

Ecco... piove. La stagione delle piogge. Tutta la mia vita è un susseguirsi di stagioni delle piogge. In Messico, quando arriva, sbocciano

14

fiori ovunque, fiori di una bellezza selvaggia e prepotente, un'esplosione di vita. La pioggia è vita. La pioggia fa resuscitare i semi che sono morti e sepolti.

E allora...

¡VIVA LA VIDA!

[*ricorda l'incontro con Diego Rivera e l'amore di tutta una vita*]

Ho cominciato a dipingere sdraiata a letto. Sarei dovuta rimanere paralizzata, dicevano i medici. E invece mi sono rialzata. E un giorno... Sono andata da lui. Con tre miei quadri. Se avesse saputo... Se avesse immaginato che ero io, quella che da ragazzina gli giocava brutti scherzi mentre amoreggiava con qualche modella in una pausa dei suoi eterni murales, quella che da dietro una colonna strillava: "Diego! Attento! Arriva tua moglie Lupe!".

Anche quel giorno stava dipingendo. I murales del ministero della Pubblica istruzione. Era in cima a un'impalcatura, l'ho chiamato. Lui ha guardato giù. Deve aver visto una ragazza ventenne dal corpo nervoso, e... so cosa lo ha attratto fin dall'inizio: le mie sopracciglia, che ha sempre definito "ali di gabbiano nero".

È sceso giù. Incredibilmente agile, per quel corpaccione pesante, e mi ha scrutata con quel suo meraviglioso faccione da rospo... Solo io so quanto sia bello Diego. Solo io. È come un cactus messicano: forte e possente, cresciuto nella sabbia e nella pietra vulcanica, irto di spine per gli estranei e con un cuore di dolce tenerezza che solo a me svela...

[*torna alla realtà del ricordo di quel giorno*]

Mi si è piazzato davanti, il doppio in altezza e pure in età, e pesante il triplo, e mi ha scrutata a lungo. Uno sguardo penetrante. Come se si perdesse nel nero dei miei occhi e cercasse un barlume nell'abisso che mi porto dentro. Ma io sono stata sbrigativa, ero troppo imbarazzata, e gli ho detto: "Non sono venuta qui perché ho tempo da perdere, né voglio far perdere tempo a te. Devo lavorare per mantenermi. Ho dipinto qualche quadro e vorrei che lo guardassi da professionista, ti chiedo un giudizio sincero, perché non vado in cerca di complimenti, non dipingo per vanità. Da te vorrei sapere se ho un briciolo di talento per continuare, o se farei meglio a cercarmi un altro lavoro e chiuso".

L'ho spiazzato. Ha guardato i quadri. Tre autoritratti. Spietati. Sensibili. Sensuali, forse. O almeno a lui lo sono sembrati, perché ha provato a lanciarsi in una serie di lodi. Ma l'ho subito interrotto: "Niente complimenti, voglio critiche serie".

Ho sentito tanti complimenti di persone che si sforzavano di essere gentili, ma si vedeva chiaramente che erano soltanto imbarazzati. Perché davanti ai miei quadri è molto più facile restare sconvolti che affascinati.

Lui ha voluto vedere "il resto".

Dei miei dipinti. E... di me. La domenica successiva è venuto a casa mia. Calle Londres 126, a Coyoacán. Qui, nella Casa Azul. E poi è tornato altre volte. Ci siamo baciati.

[*raccoglie i capelli e li trattiene con un fermaglio, si mette collane, orecchini, braccialetti e anelli*]

Mi sono innamorata di Diego con una tale forza, una sorta di totale abbandono, che solo allora ho compreso cosa fosse l'amore. Per i miei è stato un dramma: mio padre taceva, preoccupato, ma per mia madre, fervente cattolica e così legata alle tradizioni, Diego era un comunista, un senzadio, un divorziato che beveva troppo e aveva per giunta fama di passare da un letto all'altro. Le donne con cui era stato non si contavano più. "Ed è così brutto, così grasso!" strillava, e neppure le importava che fosse l'artista più famoso del Messico, che con lui avrei potuto vivere agiatamente, specie considerando che dopo l'incidente, per pagare le cure e le operazioni, ci eravamo ridotti in miseria. Niente, lei non sentiva ragioni. [*sorride malinconica*] Povera mamma, non capiva che ormai nulla avrebbe più potuto fermarmi. Sono andata in municipio e ho fissato la data: 21 agosto 1929. Quel giorno, mi sono fatta prestare dalla nostra domestica la gonna lunga, la blusa e lo scialle. Ho messo l'apparecchio al piede, per poter stare in piedi il tempo necessario, e l'ho sposato: "L'Elefante e la Colomba", hanno scritto i giornali. A parte qualche cronista attirato dall'evento che riguardava il grande Diego Rivera – anzi, "il discusso Diego Rivera", come veniva definito su quelle gazzette per ignoranti –, con noi c'era soltanto mio padre. Che ha tirato Diego in disparte per dirgli: "Mia figlia è malata, e lo sarà tutta la vita. Se vuoi, sei ancora in tempo a ripensarci. Ma se sei proprio deciso a sposarla, allora avete il mio consenso".

Il "consenso"...

Tanto, ci saremmo sposati comunque. Alla fine mio padre gli ha detto, a bassa voce, con il tono di chi sta facendo una rivelazione: "E va bene, Diego, è giunto il momento di avvisarti: Frida è una ragazza intelligente e incantevole, ma... si porta dentro un demone. Un demone nascosto".

"Lo so," ha risposto Diego. "Lo so..."

[*Frida va verso una fila di busti ortopedici disposti come una macabra esposizione del dolore lungo una parete. Eppure, malgrado la loro sia una sorta di muta testimonianza delle menomazioni di cui lei soffre, i busti hanno un aspetto tutt'altro che macabro: quelli di gesso sono dipinti a colori vivaci, con motivi floreali, animali della giungla, arabeschi e decorazioni riprese dai tessuti e dai tappeti dell'artigianato indigeno. Uno spicca sugli altri per una "falce & martello" rossa, al centro, all'altezza del seno*]

Mi sono illusa che la vita mi avrebbe concesso una tregua. Non è durata granché.

"*Di notte, la morte danza intorno al mio letto.*"

L'ho scritta nei lunghi mesi che ho passato immobilizzata. Poi ho ripreso a camminare, mi sono innamorata, ci siamo sposati, ma... la Pelona non ha mai smesso di danzarmi intorno.

[*si stringe nelle spalle, pensosa. Poi si riaccende di fervore*]

Eppure era tutto così intenso, così... coinvolgente! Ci portavamo dentro un mondo nuovo, un nuovo concetto di società, un modo diverso di concepire la politica! L'arte era politica, i muralisti rifiutavano il concetto di opera da relegare nelle collezioni private o nei musei, affrescavano muri di palazzi pubblici perché tutti potessero fruirne.

Io... io non lo so. Io dipingo me stessa. Il mio dolore. Il mio lottare e sconfiggere la Pelona ogni giorno, ogni ora, ogni istante.

La politica...
Diego ha dedicato tutto se stesso alla politica. E ne ha ottenuto solo fango, invidie, carognate, pugnalate alle spalle.

Dopo aver fondato il Partito comunista messicano, ha scelto Tročkij e ha ripudiato Stalin.

Ma in fondo lui è sempre stato anarchico. Con Tročkij fu una sorta di infatuazione.

Mandò tutti all'inferno e si prodigò perché il governo messicano lo accogliesse come rifugiato.

Il Partito lo ha espulso, accusandolo per giunta di collaborare con il "governo borghese"... Anzi, visto che il Partito lo aveva fondato lui, è stato Diego a espellersi da solo, con una pantomima che rendeva l'idea di quanto fosse tutto assurdo.

[recita come se fosse Diego a parlare]

"Addì 3 ottobre 1929, davanti a questo Comitato centrale, io, Diego Rivera, segretario generale del Partito comunista messicano, accuso il pittore Diego Rivera di collaborare con il governo piccolo-borghese del Messico e di aver accettato l'incarico di affrescare la scalinata del Palazzo Nazionale di Città del Messico. Tale condotta va contro la linea politica del Comintern, e pertanto il segretario generale del Partito comunista, Diego Rivera, deve espellere dal Partito comunista il pittore Diego Rivera!

"Il Partito comunista l'ho creato io, buffoni! E senza di me, potete tornare a pascolare le capre! Andate a farvi fottere, miserabili!"

[*sorride tra sé*]

Che ironia della sorte... Quando Tročkij sbarcò a Tampico andai io a riceverlo, Diego era a letto con una colica renale. Lo portai qui, nella Casa Azul, con sua moglie Natalia.

E il Viejo León si è invaghito di me.

La sua sembrava una passione vera. Vecchio pazzo. Mi scriveva lettere da far arrossire persino me, che ne ho viste e fatte di tutti i colori in questa *pinche vida*.

Lo ammetto: ero lusingata, almeno all'inizio. León Tročkij, fondatore dell'Armata Rossa, il rivoluzionario di ferro, innamorato di me, la sciancata Frida Kahlo. Poi, a un certo punto, pieno di sé com'era, ha detto che voleva "portarmi via a Diego".

Portarmi via a... Diego?!

[*si rivolge a Tročkij, nel buio*]

E tu, León... hai davvero creduto di avere un simile potere? Povero illuso. Tu non sai niente di me. Sono io che decido se voglio lasciarmi portare via. Deciderò io persino come e quando lasciarmi portare via la vita, figuriamoci se

22

tu avresti mai potuto portarmi via a Diego! Povero León: non hai capito un accidente di me, come non hai capito niente di questo paese! Io, Diego, il Messico, siamo troppo complicati e troppo semplici, per uno come te che al posto del cuore ha soltanto macerie!

[*torna tra sé e i ricordi*]

Ma non sono stata io a scatenare la rottura tra lui e Diego. Non so, forse Diego aveva intuito... Però il Vecchio era diventato insopportabile. Diego aveva sacrificato tutto, aveva mandato al diavolo il Partito, subiva ogni sorta di infamia, e lui, Trockij, lo ha accusato di "sfrenato individualismo, di cui soffrono tutti gli artisti, la quintessenza dell'egoismo". Che diritto aveva di trattarlo così? Diego rischiava la pelle per difenderlo e tenerlo in casa, che a quei tempi significava dover girare armati, con la pistola sempre carica nella fondina e la scorta di polizia davanti alla porta...

E pensare che a un certo punto avevo persino pensato di andare a combattere in Spagna.

Macché combattere... Be', sì, volevo andare in Spagna, tanti messicani erano laggiù, se solo avessi avuto meno ossa rotte e un po' di salute... Ve l'immaginate? Frida che va alla guerra: con una scorta di busti ortopedici, un fiasco di morfina, uno scatolone di Demerol e due o tre medici al seguito. Ma è andata bene così. Perché più passano i giorni, e più sono confusa. Sarei andata per lottare al fianco di chi? Ormai ci azzanniamo l'un l'altro come cani rabbiosi, tutti si dicono comunisti e non aspettano altro che piantare una pugnalata nella schiena di altri che si dicono comunisti! Cannibali, ecco cosa siamo diventati... cannibali.

[*afferra un giornale, "El Machete", organo del Partito comunista messicano, e si rivolge a Diego, come se fosse presente*]

Ecco, Diego, guarda: per questi qui, tu sei peggio di Hitler, Mussolini e Franco messi assieme! In Spagna ci si scanna, i fascisti stanno facendo una carneficina, e loro considerano te il loro principale nemico al mondo! Come abbiamo fatto a diventare così? Io sono comunista: ma che accidenti vuol dire, essere comunista?

[*si siede. Riflette. Con voce colma di tristezza, ricorda*]

Avevo un'amica. Un'amica vera. Un'amica che amavo e che mi amava. Si chiamava Tina Modotti. Grande fotografa. Ritraeva la vita in tutto il suo dolore, in tutta la sua ingiustizia... La vita in tutta la sua lacerante tenerezza. Nel '28 eravamo inseparabili. Nottate a discutere, a ciclostilare, e poi via, per le strade, alle manifestazioni... sempre insieme. Ci univano lo sdegno, la rabbia, l'odio per lo schifo del mondo, ma ci univa soprattutto la gioia di credere in qualcosa insieme, un grande ideale comune, l'illusione che ci fosse ancora qualcosa di pulito e limpido per cui combattere, e continuare a prendere a morsi la vita. Avevo poco più di vent'anni ed ero appena risorta dalla mia tomba di gessi e cateteri, giravo in pantaloni da lavoro e giubbotto di cuoio: Tina mi chiamava "maschiaccio", ma con quanta tenerezza... A casa sua c'era spesso anche Diego. Tina aveva posato nuda per un suo affresco e credo che, come la maggior parte delle donne che gli facevano da modelle, ci fosse anche andata a letto. Qualcuno diceva che era stato proprio per colpa di Tina se Diego aveva divorziato da Lupe. Non lo so, che importa... Ricordo che una sera, sempre a casa di Tina, Diego entrò e ci squadrò di traverso: era un momento di stanchezza, stavamo scrivendo un volantino per una manifestazione e sul grammofono c'era un vecchio disco un po' triste. Diego tirò fuori la pistola e sparò sul grammofono, quel pazzo! Io mi misi a ridere, mentre Tina si limitò a sospirare, come se fosse del tutto normale. Diego non ha mai sopportato la malinconia: per lui la vita è impeto, energia, lui è instancabile, pieno di forza, sempre pronto a gettarsi in nuovi progetti. E quando ci siamo sposati, nell'agosto del '29, siamo andati a casa di Tina a festeggiare con pochi amici...

[*si passa le mani sul volto, in un gesto di tristezza*]

Solo due mesi dopo, quando Diego ha lasciato il Partito... da un giorno all'altro Tina ci ha cancellato dalla sua vita. Ha detto solo: "Se il Partito lo considera un traditore, allora lo è anche per me". Tutto qui. E non ci siamo più riviste.

Diego, un traditore. Trockij, un traditore. Stalin, un tiranno traditore per alcuni e la speranza dell'avvenire per altri. In Spagna, si sparano nella schiena tra compagni, traditori gli uni per gli altri. Ci sbraniamo tra noi, e la storia si ripete sempre uguale.

In Messico la sappiamo lunga, in quanto a cannibalismo. Tutti rivoluzionari e tutti a sparare su altri rivoluzionari in nome della propria rivoluzione.

Stalin... Trockij... Questi "grandi uomini" che si credono depositari della verità e responsabili del destino degli esseri viventi... Quando si tratta di mettere in pratica gli ideali più puri e nobili, gli uomini riescono a essere dei Re Mida alla rovescia: trasformano in merda il miele della vita. Trasformano i sogni in incubi, e poi li chiamano "dolorose necessità". A volte mi sento così stanca, delusa, tutto mi sembra così inutile, così... Non lo so.

L'unica certezza è che la vita non avrebbe senso, se smettessi di sognare.

Ma a me che cosa resta di tanti sogni, di tutta la passione che ho messo nei miei ideali? E sono davvero miei, gli ideali, o mi illudo che lo siano soltanto perché oggi infiammano Diego, volubile e contraddittorio come solo lui sa essere, e domani, chissà...

Ma qual è la MIA rivoluzione? Dipingere me stessa martoriata eppure attaccata alla vita come una sanguisuga?! È questa, la mia rivoluzione?

[*rivolgendosi a Diego immaginario*]

E per te, Diego, che cosa diavolo è la Rivoluzione?

[*si astrae, tornando ai ricordi, sorride malinconica*]

Amore mio, quanto sei bugiardo...
Ti danno del mitomane. Ma solo io capisco che sei bugiardo perché la tua incontenibile immaginazione ti costringe a esserlo, come lo sono i poeti, o i bambini non ancora resi idioti dalla scuola o dalle madri. Ti ho sentito dire ogni genere di bugie, dalle più innocenti fino alle più complicate, ma sempre con una grande ironia e un meraviglioso senso critico.
Sì, sei un adorabile rospo bugiardo.
Anche con me.
Carogna.

Ti ricordi, Diego? In ospedale, a New York. L'ennesima operazione, l'ennesima, inutile, speranza...

Sei entrato nella mia stanza con un mazzo di fiori.

[*stringe i denti come per una fitta di dolore e si rivolge a Diego immaginario*]

E allora, grande artista internazionale... Come vanno i tuoi contatti qui a New York? Gringolandia ha ripreso a darti soddisfazioni o ti sei finalmente rassegnato al fatto che sono tutti un branco di pescecani pronti a sbranarti?

Ah, certo... Tu non sei venuto a New York per lavoro, sei qui per me. Solo per me, vero?

[*superando a fatica un'altra fitta dolorosa*]

Sei un artista completo, Diego: anche come attore te la cavi... Ecco, bravo... Hai fatto bene a portare dei fiori. Spero che il loro profumo copra il tanfo di morte che mi porto addosso. Sto marcendo da viva... ammesso che questo schifo si possa chiamare "vita". L'infermiera che è appena andata via aveva la faccia di una che stava per vomitare.

[annusa l'aria, percepisce un profumo]

Animale! Hai ancora il suo profumo addosso, lurido rospo! Fai un olezzo dolciastro, sembra deodorante da cesso! Sai che gran miss doveva essere, la tua troia di turno, se usa un profumo così dozzinale! Preferisco il mio puzzo di cadavere!

Fai proprio schifo, Diego... Sei venuto fino a New York con la scusa di assistermi... e te ne vai in giro a scopare come al tuo solito. Intendiamoci: lo hai fatto tutta la vita, non puoi certo cambiare adesso. Ma almeno qualche giorno di tregua, almeno non venire in ospedale con il suo odore addosso, Cristo! Mi sento insultata quando vai con qualche donnaccia che non vale neppure il prezzo di un mazzo di fiori! E adesso, i fiori li porti a me... sei patetico. Appena riuscirò ad alzarmi, faranno la fine di quel braccialetto di merda.

Ah, neanche te lo ricordi?! Un braccialetto di diamanti, roba da gran signora... e magari l'avevi comprato per una delle tue conquiste, chissà poi cos'è successo. Aahhh! Bastardo, eri in piena stagione delle bionde americane... bellissime, esuberanti, generose con gli artisti... sfondate di soldi, e così affascinanti al volante delle loro fuoriserie decappottabili. Un giorno sei arrivato con quel braccialetto di merda! Era il tuo modo per farmi stare buona e zitta, per mettere a tacere la storpia rompicoglioni. Dicevi che dovevamo essere al passo coi tempi, che la gelosia era roba da Terzo mondo, da retrogradi, che non si addiceva a una coppia "cosmopolita" come noi due. Quante stronzate ho dovuto sorbirmi da te. Se almeno non avessi infarcito di balle ogni carognata che mi hai fatto! Una volta mi hai dato della troglodita perché eri tornato pieno di graffi sulla schiena e io ho fatto l'ennesima scenata. Tu sempre in giro a caccia di puttane d'alto bordo e dollari da buttare dalla finestra non appena li incassavi, e io chiusa in albergo a dipingere l'inferno della mia solitudine...

Però... non è vero, non ero affatto sola: avevo le mie compagne inseparabili... la bottiglia di brandy, le fiale di morfina e le pastiglie di Demerol. Ah, ma non so perché perdo ancora tempo, sono proprio una scema, hai ragione tu: solo un'idiota poteva amare uno come te, aspettando infinite volte l'alba nella speranza che tornassi da me... *No hay remedio.*

Be', comunque, sai dov'è finito il tuo braccialetto di diamanti? Nella baia di San Francisco. Spero che fossero soltanto culi di bottiglia, perché se erano diamanti veri... già, ma che ne avrei fatto? Tutt'al più, mi ci sarei pagata una clinica migliore di questo schifo d'ospedale per pezzenti.

[*si astrae, ripensando ai suoi, di tradimenti*]

Be', sì... certo. Anch'io ho avuto tanti amanti. Non amori. Solo amanti. E perché no?

Ma sì, Isamu Noguchi, uno scultore di New York... [*ha lo sguardo sognante*] Era bellissimo... Affascinante, esuberante... è vero, avevo quasi perso la testa per lui. Mi adorava. Mi faceva sentire al centro dell'universo. Lui sì che mi amava perdutamente. Io... non lo so. Be', l'attrazione era forte, ma... è come se fossi schiava di Diego. Anche mentre mi illudevo di amare Isamu alla follia, soffrivo terribilmente all'idea di perdere Diego. Io non sono malata solo nel corpo... Ho dei seri problemi anche qui... [*e si tocca la tempia. Poi si perde nei ricordi, e subito dopo si rimette a ridere*] E Diego, per poco non lo ammazza...

Una volta eravamo qui... Be', se non fosse stato per Chucho, il nostro ragazzo tuttofare, che mi ha avvertita appena in tempo, sarebbe finita in tragedia. Diego è rientrato prima del previsto, ma doveva aver intuito qualcosa, oppure qualche carogna lo aveva avvertito, perché è entrato come un tornado! Isamu si era rivestito in fretta e furia, ma quel disgraziato del cane gli aveva fregato un calzino. Ah, che scena! Sembrava una comica! Isamu che rinuncia al calzino e scappa dalla finestra, si cala dall'albero di arancio nel patio, e Diego che irrompe nella stanza con la pistola spianata! Io gli ho riso in faccia, ma dentro morivo di paura... Se lo beccava con me lo ammazzava, ne sono certa. E non è finita: Isamu mi amava a tal punto che non si è rassegnato. Io ho cercato di allontanarlo, ma era così bello, così pieno di attenzioni, così... Bah, il solo fatto che un uomo giovane e di talento come Isamu Noguchi mi amasse mi faceva sentire fiera di me stessa! Comunque, un'altra volta viene a trovarmi in ospedale, e Diego, accidenti a lui, con quel suo dannato sesto senso, arriva sul più bello: mi sono messa a urlare, perché ha tirato fuori la pistola e gliel'ha puntata in mezzo alla fronte... Gli ho gridato che se lo ammazzava non mi avrebbe più vista, lo avrei odiato per il resto dei miei giorni. Non so se sono stata convincente, perché Diego stava davvero per sparargli in faccia. Ha alzato il cane, gli ha appoggiato la canna sul naso, e gli ha detto:

"Ringrazia mia moglie, da oggi in avanti le devi ogni lurido giorno della tua lurida esistenza. Ma se ti rivedo, giuro che t'ammazzo".

Eh sì, Diego ci sa fare, in certi momenti. Non recita, gli viene naturale, eppure sembra un attore di Hollywood... "Ogni lurido giorno della tua lurida esistenza"... Che gran figlio di puttana. Si era appena scopato una delle sue modelle, ma aveva fatto in tempo ad arrivare in ospedale per beccarci insieme.

Poi, le donne. Sì, ma certo che è vero, lo sanno tutti. Anzi, se non sei mai stata con una donna non sai cosa ti perdi. Con le donne ho provato momenti di tenerezza e complicità che nessun uomo ha saputo darmi... O meglio, no, un uomo c'è... Diego è l'unico ad avere in sé una femminilità così intensa, così profonda, da saper essere sensibile come una donna.

[*riflette, indecisa*]

Mah... non so. No, non era per ripicca. O meglio, c'era anche un po' di rivalsa, lo ammetto, però... Con una donna non mi sono mai sentita in imbarazzo, non ho mai pensato di essere una storpia. Con una donna, con certe donne, sono stata totalmente a mio agio. Ma è difficile da spiegare. Immaginate cosa provo quando devo mostrare a un uomo queste cicatrici, la schiena ridotta a un campo arato, la gamba menomata... Con le donne, no, le donne con cui ho fatto l'amore non mi hanno mai fatto sentire quello che sono.

Eh sì, le ho provate davvero tutte. E sinceramente con le donne non mi dispiace affatto. Ma non riuscirei mai a fare a meno di Diego. Lui è la vita che mi è mancata, lui è l'unico che, quando mi tiene tra le braccia, riesce a far scomparire la Pelona che mi danza intorno giorno e notte. Diego mi fa resuscitare, rende meno assassina questa vita maledetta, questo destino infame che mi ha ridotta a un sacchetto di ossa rotte. Se fossi riuscita a dargli un figlio... Oh, santa Vergine, quanto l'avrei voluto! Ma neanche questa gioia mi ha dato, la vita assassina.

[*si alza a fatica, in preda al dolore fisico e morale, va verso uno scaffale pieno di idoli precolombiani e ne prende uno, la dea azteca Coatlicue*]

Coatlicue... dea azteca madre del Sole e della Luna, madre di tutti gli dèi e quindi degli uomini. È affascinante che gli aztechi, e prima ancora i maya, immaginassero le proprie divinità così... ambivalenti, ambigue, a rappresentare l'essenza del mondo, che ti dà immense gioie e sofferenze insopportabili. Coatlicue è la Madre Terra, la fertilità che genera la vita, e al tempo stesso il mostro insaziabile che tutto divora.

[*si rigira la statuetta tra le mani, poi si guarda allo specchio*]

Io... io ho divorato la vita. La mia vita. Ma non ho generato alcuna vita.

Oh, Diego... non sono stata capace di far tesoro del tuo seme. Questo rottame di donna non è stato capace neanche di darti un figlio, di mettere al mondo un Dieguito... e tu sai quanto lo avrei voluto, Dio mio, quanto... [*si copre gli occhi con il braccio, piangendo*]

[*di scatto fissa il vuoto davanti a sé, improvvisamente fredda, con un vago sorriso sarcastico*]

Quanti ospedali, anche per tentare di darti un figlio... E tu, lurido rospo, ti sei scopato pure mia sorella.

[*il ricordo la rattrappisce, come una fitta dolorosa più forte*]

Oh, Cristina, Cristina... come hai potuto...

[*si rivolge alla sorella Cristina, alzandosi come se l'avesse di fianco*]

Accidenti a me, e accidenti alla *pinche vida*! Tra sorelle e sorellastre ne ho cinque, maledizione, cinque! Ma solo una è tutto ciò che si vorrebbe da una sorella, e anche di più. Con te, Cristina, siamo sempre state inseparabili, nessuno al mondo mi è vicino quanto te, nessun altro sente le stesse cose che sento io...

E dicevi di invidiarmi... Invidiare me? E ci mancherebbe... Ma guardati: bella, sana, nel pieno del vigore, e per giunta madre... invidiare me, che sono un rottame. E sai che fortuna, aver sposato Diego! Sai che fortuna. Lui è il secondo incidente "quasi" mortale della mia vita. Però... avrei dovuto immaginarlo. Quando hai posato per lui, nell'affresco del Palazzo Nazionale, ti ha dipinta con una tale sensualità... lo sguardo vuoto, come se avessi appena avuto un orgasmo... Avrei dovuto capirlo già da allora. Lui fa così: quelle che si scopa, le dipinge come le ha viste un attimo dopo averle fatte godere. Sì, sono proprio una stupida. Ma ti rendi conto che vita è la mia? Solo tu lo sai. Sei tu che arrivi con la morfina quando avrei voglia di spararmi un colpo in testa! Solo tu sai cosa provo! Sei sempre stata la mia migliore amica, l'unica sorella mia complice in tutto, solo tra noi due ci siamo sempre capite... E allora, stronza, lo capisci adesso cosa ho provato vedendoti scopare con lui? Lo capisci?!

[*si copre il volto, respira a fatica*]

Eppure... hai ragione, Cristina. Sono da invidiare. Perché l'amore di Diego è qualcosa di unico e irripetibile, malgrado tutto. E io ho avuto tutto, malgrado me.

[*va a prendere una lettera da un cassetto*]

Ricordi questa lettera, Diego? Quanto tempo...

[*legge*]

"Sono le sei del mattino e i tacchini cantano, amore mio e calore dell'umana tenerezza. Solitudine in compagnia di altre solitudini. Mai, in tutta la mia vita, dimenticherò ciò che sei stato per me. Mi hai accolta distrutta e mi hai restituita alla vita. Su questa piccola terra, dove potrei posare lo sguardo senza vederti? Sguardo così immenso, così profondo. Non esiste più il tempo, non esiste nient'altro. Ormai, c'è soltanto questa realtà. Quello che è stato, sarà per sempre. Sono radici che spuntano trasparenti, trasformate. L'albero da frutta eterno. I tuoi frutti emanano aromi, i tuoi fiori crescono nella gioia del vento e mi offrono i loro colori. Diego: nome d'amore. Non lasciare che patisca la sete quest'albero che tanto ti ha amato, che ha cristallizzato la vita alle sei del mattino. Non permettere che patisca la sete quest'albero per cui tu sei il sole."

[*posa la lettera*]

Ma sì, Diego, non ha senso fare così. So come sei, e lo sapevo fin dall'inizio, anzi, addirittura da prima che ci fosse un inizio. Tu non cambierai mai e io, del resto, che diritto avrei di costringerti a cambiare? Non si ama qualcuno per come lo si vorrebbe, ma per quello che è.

Io ti amo perché ti stimo, Diego. Solo io so quanto vali. Ti ricordi, con quel bastardo di Rockefeller? Ti vedo ancora su quei ponteggi, giorno e notte, infervorato, infaticabile, appassionato come sai essere tu quando crei qualcosa di immortale... Stavi realizzando una delle tue opere migliori, grandiosa, colossale, destinata all'eternità, e quel pusillanime, quell'omuncolo borioso, ha fatto demolire il muro, perché a Gringolandia non possono tollerare la vista delle facce di rivoluzionari in un affresco... Ma forse avevano ragione loro: perché mai dovrebbero tenersi in casa la memoria dei propri nemici?

Quanto ti ho ammirato, Diego: la mia stima per te era arrivata alle stelle, quel giorno. Non hai chinato la testa, e di fronte alle loro pretese, piuttosto che modificare il progetto originale, piuttosto che accettare la censura, hai preferito rinunciare a uno dei lavori più imponenti che avessi mai realizzato. Ti amo anche per questo, Diego. Ma tu e io... siamo due ingenui. Come abbiamo fatto a illuderci di poter prendere per il culo i capitalisti usando i loro dollari? Saranno anche ignoranti e rozzi, ma se fossero pure sprovveduti non potrebbero dominare il mondo come invece fanno. Nel tempio del capitalismo, nel Rockefeller Center, tu hai preteso di rappresentare gli Stati Uniti con gli affaristi di Wall Street oscenamente festosi accanto ai disoccupati, ai manifestanti pestati dalla polizia, agli orrori della guerra...

Quel giorno mi sono sentita immensamente orgogliosa di essere la moglie di Diego Rivera. Ma... dobbiamo deciderci ad ammetterlo, Diego: tu e io siamo due disadattati in qualunque situazione. Siamo estranei al mondo così com'è. Hai ragione quando dici che in fondo sei anarchico, mentre io anarchica lo sono sempre stata e non ho neanche bisogno di ribadirlo, come fai tu quando resti deluso da qualche grand'uomo rivoluzionario che si rivela meschino e miserabile come tanti altri... Ti ricordi, Diego? Mentre Rockefeller faceva distruggere il tuo affresco, il Partito comunista ti attaccava definendoti un servo dei capitalisti. Quante volte, amore mio, sono stata l'unica a difenderti con le unghie e con i denti. Certo che nemmeno se ci fossimo messi d'impegno saremmo riusciti a ottenere tanto: tu e io siamo sacrileghi per i bigotti, osceni per i perbenisti, sovversivi per i capitalisti e servi dei capitalisti per i comunisti...

Siamo soli, Diego. Soli.

Tu hai dipinto macchine splendenti, d'acciaio lucente, macchine che illudono gli esseri umani di alleviare loro ogni fatica... E io, intanto, sono stata ridotta a quello che sono proprio da una macchina, inventata anch'essa per rendere meno difficile la vita... Che beffa. Nessuna vita è facile, lo so. Ma ce ne sono alcune che sembrano una presa in giro. A volte, spero davvero che ci siano degli dèi [*e indica con un cenno le divinità preispaniche*], qualche divinità capricciosa, a prendersi gioco di noi, perché se tutto questo fosse soltanto casualità, allora... sarebbe intollerabile!

[*annuisce stancamente*]

Sì, ma è sempre più duro resistere, credimi. Non sto parlando di te e delle tue avventure. Sto parlando di me. Non ne posso più, Diego. In nome di cosa, dovrei continuare a soffrire così? Non ho scelto il martirio. Ho amato intensamente la vita finché era VITA, ma ora... in nome di cosa e di chi devo sopportare tutto questo?

Tu dici che non posso. Che non devo. Per favore, Diego, non essere patetico: tu hai il tuo lavoro, che è la passione principale di ogni istante della tua esistenza. Vedrai, mi dimenticherai presto, e finalmente potrai vivere senza il peso del mio dolore. Vedrai, per te sarà meglio, e io finalmente avrò pace... Lasciami andare, Diego, ti scongiuro... lasciami andare!

[*inizia la "vestizione" di Frida: indossa uno dei suoi busti dipinti, si mette monili, orecchini, anelli, collane, fino a sembrare una dea azteca. Si prepara alla "partenza"*]

"A te, ti hanno raccolta in un immondezzaio."

Sono passati quarant'anni e ancora non riesco a scordarmela, quella frase della mia sorellastra María Luisa.

"A te, ti hanno raccolta in un immondezzaio."

Mi piace pensarmi come Tlazoltéotl, dea azteca della purezza e della lordura, l'avvoltoio femmina che inghiotte immondizia per sanare il mondo.

Il mio mondo stava tutto nel piccolo sobborgo di Coyoacán, un mondo che ha cominciato presto a opprimermi, fin da quando i bambini mi gridavano "Frida pata de palo!", Frida zampa di legno, perché zoppicavo per la poliomielite... Con la gamba che adesso non ho più.

Ma a che mi servono le gambe, se ho ali per volare...

Ho succhiato la vita dal seno di una balia india. I suoi capezzoli sapevano di terra umida, Madre Terra Tonantzín, Tonantzín Vergine di Guadalupe dal manto di firmamento, Nostra Signora dal volto moreno, Nostra Signora della Solitudine...

Io sono sola.

La vita silenziosa, generatrice di mondi oscuri... Quante volte l'ho lacerata con le mie urla da cervo ferito...

Abiti da Tehuana, raggi di luce, dolori che sono colori, soli accecanti, trafitta dai colori, come raggi di sole che trafiggono un vampiro...

Sorge il sole e la morte si allontana.

Sorge il sole e io riprendo a vivere, e a morire.

Quei capezzoli sapevano di linfa, linfa della grande ceiba, albero sacro per la mia balia india, l'albero Wakah-Chan Croce Cosmica della Vita.

Ma io ero nata figlia di Coatlicue, Madre Spietata della Metamorfosi.

Coatlicue, Signora della Morte datrice di vita. Coatlicue assassina e madre. Io, assassinata dalla vita...

Perché noi siamo tutti figli della morte, la vita si nutre di morte e l'assenza ci accompagna ogni giorno e ogni notte.

Coatlicue, ti scongiuro... non indugiare oltre!

Ieri ho capito che è arrivato il momento di spiegare le ali.

[*come se scimmiottasse se stessa, ripete*]

Ma a che mi servono i piedi, se ho ali per volare...

[*torna seria e cupa*]

Sì, ho ali per volare... e intanto Diego spingeva la mia sedia, le ruote cigolavano, la mia spina dorsale scricchiolava, i miei occhi si specchiavano in quelli della gente intorno... E ho letto nei loro sguardi la PIETÀ!

Allora, meglio tornare nell'immondezzaio.

"A te, ti hanno raccolta in un immondezzaio"... Non è vero, non è vero. Frida pata de palo, Frida raccolta nell'immondezzaio... Coyoacán era anche troppo vasto, come mondo, e ho imparato presto che al chiuso della Casa Azul potevo sfuggire alla cattiveria altrui, al chiuso della mia stanza potevo sfuggire alla desolazione della Casa Azul.

Allora, un giorno, ho alitato sul vetro della finestra, ho disegnato una porta sul vetro appannato e ho cominciato a varcare quella soglia. Al di là, nell'inframondo della mia fantasia, c'era ad aspettarmi l'amica del cuore e con lei ho trascorso le uniche ore liete della mia infanzia. Dalla porta sul vetro appannato attraversavo la strada ed entravo nella latteria di fronte, la latteria Pinzón, e dalla ó di Pinzón scendevo nel ventre della terra, dove c'era sempre lei ad aspettarmi. La mia amica del cuore immaginaria non aveva un nome perché non c'era bisogno che la chiamassi: la ritrovavo sempre al di là della ó sull'insegna della latteria, oltre la porta disegnata sul vetro appannato. La mia amica era sempre allegra, rideva senza un suono, e mi trasmetteva una gioia infinita, la serenità che mi mancava tanto, e lei ballava, ballava come se non avesse peso. Le sue gambe erano agili... La mia gamba destra era più corta e rattrappita, ma... a che mi servivano le gambe, se avevo ali per volare?

Ero felice, al di là della porta disegnata sul vetro appannato.

Poi, tornavo nella Casa Azul e cancellavo con la manica la soglia del mio mondo di sogno, e aspettavo l'indomani per tornare dalla mia amica che rideva allegra, rideva senza un suono.

Sogni... Sogni... Quanti sogni.

E correvo zoppicando fino all'albero in fondo al giardino, che non era una ceiba ma soltanto un *cedrón*, l'albero dai frutti amari, frutti amari come il fiele... Amari come la vita.

[*ora è rabbiosa, ogni frase è quasi un grido di rivalsa*]

Io NON sono il simbolo di questa mia terra lacerata e saccheggiata, di questa terra mutilata come il mio corpo!

Io SONO il SINTOMO!

Io sono la disintegrazione.

Ho nelle vene sangue di ebrei ungheresi e sangue di indios taraschi, discendo dalla mescolanza di genti perseguitate e conquistate, costrette alla fuga e disperse, discendo da generazioni di sconfitti mai domati che hanno perso tutto fuorché il bene più prezioso: la dignità!

[*si afferra il vestito sul seno quasi a volerselo strappare*]

Sono carne e spirito delle Americhe, sono meticcia, sono figlia di una figlia di una figlia nata dallo stupro dei guerrieri avidi d'oro, perché i Conquistatori non si portarono donne al seguito e violando la carne delle indigene diedero origine a ciò che siamo: non fu vittoria, non fu sconfitta, fu la dolorosa nascita della civiltà meticcia, fusione inestricabile di passato che non passa, memoria che non si spegne, vita che nasce dalla morte e morte che dà la vita...

[*il tono torna dimesso, malinconico*]

Io non sono malata. Sono a pezzi.

Io non ho narrato il dolore dipingendo l'universo di me stessa, perché il dolore non si può raccontare.

Non c'è linguaggio che possa esprimere il dolore.

Il dolore è un urlo lacerante, un ruggito a denti stretti, una litania di gemiti, un delirio di parole spezzate, frantumate...

Parole mutilate dal dolore.

Io ho dipinto solo me stessa, perché si è soli nella sofferenza, perché la sofferenza genera solitudine.

Nostra Signora della Solitudine, il Dolore è con te.

Nostra Signora Tonantzín, Croce Cosmica della Vita, il Dolore è in me.

Stanotte sarò in te, Nostra Signora della Solitudine.

Stanotte danzerò con Coatlicue l'ultimo ballo sull'ultima nota, quella sempre uguale, la nota del silenzio che desidero più d'ogni melodia, più di qualsiasi voce amata.

Così immobile, finalmente... Dimenticata.

Dopo tutte le ore vissute... Senza altra conoscenza che la viva emozione. Senza altro desiderio che andare avanti fino a incontrarsi. A tornare in me, a ritrovare tutta me stessa, senza mutilazioni, fino alla fine dello scempio e finalmente oltre, al di là dell'oblio e della memoria. Lentamente. Ansiosa di vuoto e pace. Un po' di pace, finalmente... Lentamente.

La pazzia non esiste. Quante volte avrei voluto fare quello che mi pareva nascondendomi semplicemente dietro il velo della pazzia... Ma la pazzia non esiste.

Siamo gli stessi che eravamo e che saremo. Senza dover contare sul destino idiota.

Si può provare odio per le proprie sensazioni?

Si può odiare il dolore?

Io non ho odiato il dolore, eppure... contro di lui ho lottato, ho combattuto, ho vinto e ho perso battaglie quotidiane.

Ma è la stanchezza ad aver vinto la guerra.

La stanchezza ha sgretolato, ha disintegrato la volontà di resistere.

La stanchezza.

Mi sono arresa alla stanchezza.

Disperazione.

Una disperazione così intensa che nessuna parola può descrivere.

Eppure...

Avevo voglia di vivere. Stanca e disperata, ho persino ripreso a dipingere... *¡Viva la vida!*

E la vita scorreva, apriva sentieri, e non è mai vano percorrerli...

Ma fermarsi lungo il sentiero genera smarrimento, è da lì che nasce la tristezza, la desolazione, perché tutti vorremmo essere la SOMMA e non un singolo numero sconosciuto.

I cambiamenti ci sconcertano, ci terrorizzano, perché noi cerchiamo la calma, la pace, perché noi anticipiamo la morte morendo in ogni istante della nostra vita.

Poi, la somma la chiamiamo DIO, oppure LIBERTÀ...

Io l'ho chiamata AMORE.

Sogni... Sogni... Quanti sogni. Sono morta mille volte intossicata dai sogni.

E l'assurdo è che ho lottato valorosamente contro ciò che più desideravo e desidero.

[*echeggiano due voci, prima Diego e poi Cristina, la sorella, che dicono: "Ti stai uccidendo, Frida!"*]

Fantasmi. Comincio a sentirli.

O forse sono io, il fantasma?

Ti mancherò, Diego.

Quanto è lontano, ormai, il giorno che ti ho stretto al mio petto. Bambino mio.

Ma tu trasformerai la mia mancanza in arte. Perché l'arte non riflette la realtà. La FONDA. La modella, la crea, la distrugge, e torna a ricrearla.

Riempirai il vuoto che avrai nel cuore, con un oblio di parole che formerà la lingua adatta a comprendere gli sguardi dei nostri occhi chiusi.

[*si ferma, si contrae come se un dolore lancinante le trafiggesse il petto. Poi si riprende, e continua in tono di profondo rimpianto*]

Se solo ti avessi vicino, se soltanto mi accarezzassi come l'aria accarezza la terra... allontaneresti questa sensazione di grigio gelido che mi invade e mi riempie.

Sono il fiore che non è mai sbocciato, albero esausto nell'attesa di una primavera mai giunta.

Ma... è ora di togliere il lutto dallo sguardo.

[*si sofferma ad ascoltare un rumore lontano... piove*]

È tornata la stagione delle piogge... Ma per la prima volta le mie lacrime non si confonderanno nella pioggia.

Niente più lacrime, amore mio.

Continuerò a scriverti con i miei occhi. Per sempre.

[*Frida comincia a mettersi collane di giada, ossidiana, turchese, anelli a tutte le dita, e un numero impressionante di braccialetti, che tintinnano e scintillano. Appare come una splendida Coatlicue, dea azteca della Morte generatrice di Vita*]

Coatlicue, Madre Misericordiosa che doni il silenzio... Tláloc, Signore della Pioggia... Eccomi. Sono pronta.

Aspetto felice la partenza.

E spero di non tornare mai più.

Frida: *momenti, immagini, ricordi sparsi*

"Assassinata dalla vita," diceva di se stessa nei momenti di livore contro un destino che si era accanito su di lei con perversa crudeltà. Frida amava la vita con una passione così intensa che la Pelona, la "cagna spelacchiata", la Morte irridente della *mexicanidad*, aveva rinunciato a prenderla quando era stato il momento, scacciata forse da quell'urlo di dolore disperatamente vivo che era echeggiato per interi isolati, sull'immensa plaza dello Zócalo, sui palazzi dei Conquistadores, fino ai teschi di pietra del Templo Mayor, risvegliando la selva di spettri che popolano le viscere della distrutta Tenochtitlán e convivono tuttora con gli incalcolabili abitanti della megalopoli più grande del mondo.

Quel 17 settembre 1925, la Pelona guardò negli occhi la diciottenne Frida, poi guardò il suo corpo nudo e insanguinato, tra i rottami dell'autobus schiantato dal tram, quel giovane corpo trafitto da una sbarra che entrava in un fianco e usciva dal ventre, e si preparò a coprirla con il suo manto nero. La spina dorsale spezzata in tre, due costole, la spalla e la gamba sinistra frantumate... una devastazione eccessiva e indecente. Eppure, con l'ostinazione di cui soltanto lei era capace, Frida afferrò la vita e se la tenne dentro, ritrovando di lì a poco persino la forza per ridere in faccia alla Pelona, con quelle sue *carcajadas*, gli scrosci di risate che le erompevano dal petto e la illuminavano come un fuoco d'artificio messicano, contagiando d'allegria chi andava a trovarla immobilizzata a letto, e riservando le lacrime per le eterne notti di solitudine, quando l'alba non arrivava mai e il buio le sembrava un insulto alla terra più assolata del mondo. La Pelona si rassegnò ma le restò accanto ogni giorno, alitandole sul viso, ricordandole la sua presenza a ogni aborto spontaneo, attonita e ammirata per l'energia di quella piccola donna irriducibile che subiva l'ennesima crudeltà: non poter avere il figlio tanto desiderato, proprio lei che da giovanissima, vedendo Diego Rivera dipingere gli affreschi nella sua scuola, aveva detto tra sé: "Vedrai, *panzón*, adesso non ti accorgi neanche di me, ma un giorno mi farai fare un bambino...".

Frida possedeva una bellezza irripetibile, che forse nessuna foto è riuscita a rendere e che soltanto gli autoritratti possono trasmettere, una bellezza che si concentrava negli occhi, così profondi da dare un senso di vertigine e smarrimento, lo sguardo capace di incantare, accarezzare, infondere una tenerezza da vuoto allo stomaco. Ma quello stesso sguardo d'immediatezza perforante sapeva anche sferzare e annientare quando si imbatteva nell'ipocrisia e nell'arroganza umana. La sensualità di Frida è leggendaria in mille testimonianze di uomini e donne, una sensualità impulsiva e mai studiata, fatta di puro istinto e immune da pose e finzioni calcolate, ma ad affascinare chi la frequentava era anche la sua ironia solare, propria di un carattere temprato che non conosce la meschinità. Ironia che poteva essere caustica, a volte spietata come la natura messicana: meravigliosa quanto aspra, struggente, unica, e capace di fare molto male a chi non la rispetta.

Tra il giorno in cui Frida aveva conosciuto Diego, quando aveva mormorato quella strampalata promessa che suonava più come una sfida irriverente, e il giorno del loro matrimonio non erano trascorsi soltanto quattro anni: nel mezzo, a spartire le acque della gioia da quelle del dolore, c'era stato l'Incidente, lo strazio del suo corpo armonioso, le operazioni malriuscite, i gessi e i busti, la miracolosa ripresa voluta e ottenuta con rabbioso amore per la vita. Vita a cui Frida non si avvinghiava perché impaurita dalla Morte, dalla Pelona che prendeva in giro con le parole e soprattutto con il pennello sulla tela, tutt'altro: figlia prediletta del suo Messico, Frida possedeva quel misto di fatalismo e prorompente energia che contraddistingue la sua terra, punto d'incontro degli opposti del mondo, dove l'eccesso convive con l'armonia e i contrasti sono così estremi da lasciare stupefatti. Frida non "voleva vivere", bensì "viveva" a dispetto della sorte, con la quotidiana coscienza di consumarsi in fretta come una fiammata che arde più splendente della brace lenta.

Diego e Frida: l'Elefante e la Colomba. Diego Rivera aveva vent'anni più di lei, era straordinariamente brutto e *apparentemente* sgraziato, enorme in assoluto e ancor più quando le stava a fianco: una coppia che sembrava il simbolo dei forti contrasti della loro terra. Diego aveva alle spalle una fetta di vita in Europa – dove era approdato nello stesso 1907 in cui Frida nasceva –, l'amicizia con Picasso, Apollinaire, Gertrude Stein, una prima moglie russa che lo adorava e che lui abbandonò a Parigi, una seconda moglie, Lupe Marín, di selvaggia bellezza e furibonda come solo una messicana tradita sa essere. Il presente di Diego, quando lui e Frida si sposarono, era di gloria e fama eccelse: il più stimato e venerato pittore muralista in un paese che amava l'arte almeno quanto le rivoluzioni. L'impegno politico, per Diego Rivera, nutriva la sua arte e si nutriva di arte: lui e gli altri grandi muralisti, come Orozco e Siqueiros, dipingevano affreschi perché l'opera restasse a disposizione di tutti, in edifici pubblici, scuole, università, nel patio o sulla scalinata di un palazzo di governo dove chiunque sarebbe potuto passare, mentre la tela, una volta venduta, diventava proprietà privata di pochi. Diego, profondo conoscitore di Giotto e Michelangelo, ne aveva perfezionato le tecniche di preparazione del muro da affrescare, ed è per questo che i colori da lui stesi restano identici a distanza di tanti decenni. Diego era anche uno straordinario narratore: i suoi murales sono un viaggio nella storia e nella geografia umana del Messico, il racconto struggente, appassionato, dolente, che freme di indignazione per le violenze subite ma senza indulgere al vittimismo, dove la bellezza scaturisce dal rapporto con le radici ancestrali e con le genti più umili e genuine, ma soprattutto fiere della propria identità. E non ci si limita a *guardare* le sue opere, si viene coinvolti con forza vibrante nei suoi luminosi racconti corali.

Frida, *apparentemente*, si rivolge nella direzione opposta. Frida trasforma il dolore in arte, dipinge se stessa e l'universo minuscolo – ma profondo e insondabile come un abisso – che la circonda da vicino; mentre Diego rappresenta l'universalità del mondo visibile, Frida dipinge pensieri che si materializzano, stati d'animo che diventano forme e colori: lui è l'interprete di un popolo e della sua lunga e travagliata storia, lei è l'immediatezza dell'esperienza vissuta e immaginata, dove vivere e immaginare si fondono, si compenetrano, si tormentano a vicenda. L'autoritratto è la sua autobiografia, preferisce l'intensità alla vastità, concentra in piccole tele finemente tratteggiate con sottilissimi pennelli di zibellino la forza della vita che travolge la sofferenza, assorbe in se stessa l'identità della propria terra e trasmette nei mille dettagli dei suoi quadri l'essenza più intima della *mexicanidad*, filosofia di Vita e di Morte, l'una che irride all'altra con al centro Frida che inganna entrambe.

"La sola cosa che so è che dipingo perché ne ho bisogno e dipingo tutto quello che mi passa per la testa, senza prendere in considerazione nient'altro."

Amava definirsi *la gran ocultadora*, forse perché occultava con l'allegria contagiosa l'inguaribile malinconia che la pervadeva, ma nei dipinti non si occulta e non inganna: è "tutto quello che le passa per la testa", senza maschere, lasciando ogni tanto prevalere l'ironia come antidoto efficace all'autocommiserazione. Frida dipingeva da tempo quando sposò Diego, e forse aveva usato i quadri come un pretesto per attirare il Rospo – così lo chiamava affettuosamente – nella sua Casa Azul di Coyoacán. Lui ne era rimasto sinceramente colpito, tanto che più tardi avrebbe scritto: "Comunicavano una vitale sensualità a cui si aggiungeva uno spirito d'osservazione spietato, ma sensibile... era chiaro che quella ragazza era una vera artista". Aveva provato a dirglielo, e lei lo aveva bloccato subito, inflessibile: "Non sono in cerca di complimenti. Voglio le critiche di un uomo serio".

Il 21 agosto 1929 Frida e Diego si sposarono. Poco prima di condurre la figlia all'altare, Guillermo Kahlo, che all'inizio aveva osteggiato il matrimonio con quel pittore famoso anche come dissoluto e donnaiolo, lo prese da parte e lo mise in guardia, dicendogli che la figlia si portava dentro un demone. Diego rispose con semplicità che lo sapeva.

Tra loro non c'era rivalità ma reciproca ammirazione, e Diego mostrava con orgoglio la lettera in cui Picasso gli aveva scritto: "Né tu né io saremo mai capaci di dipingere una testa come quelle di Frida Kahlo". La loro casa a Città del Messico divenne ben presto luogo di passaggio obbligato e sede di inenarrabili nottate di baldoria sfrenata e appassionate discussioni per artisti, scrittori, poeti, "ribelli & sognatori" che erano o sarebbero diventati i protagonisti della cultura mondiale in quel turbinoso e avvincente periodo storico: Ejženstejn, Breton, Neruda, per citare alcuni "stranieri" fra i molti talenti messicani dell'epoca. E poi, quando l'arte di Frida cominciò a essere apprezzata all'estero, avrebbe suscitato l'entusiastica ammirazione di Kandinskij, Miró, Duchamp, Tanguy, mentre i più grandi fotografi – come Weston, Cunningham, Álvarez Bravo – sembravano ammaliati dal suo sguardo e dalle espressioni del suo viso, che immortalarono in più occasioni.

L'amore tra Diego e Frida e il consenso che ottenevano in due continenti non significavano affatto serenità. Lei desiderava un figlio con tutta se stessa, e rimaneva incinta, sì, ma per abortire entro poche settimane: il corpo martoriato la tradiva proprio quando cominciava a illudersi di aver burlato non solo la morte ma anche le leggi della vita. Intanto lui, Rospo o Elefante poco importava, seguiva l'istinto più forte di qualsiasi freno coniugale, sociale o naturale: più diventava brutto, grasso e goffo, e più donne conquistava. Non si trattava solo di gloria e fama: Diego possedeva un tale carisma, era così affascinante e persuasivo, ma soprattutto le donne gli piacevano *così tanto*, che sedurne una rappresentava per lui un irrinunciabile, gradevolissimo appuntamento pressoché quotidiano. Non si risparmiava, non perdeva nessuna occasione.

Frida ne soffriva, e certo non in silenzio. In una frase confidata "ridendo dolorosamente" a Bertram Wolfe, riassumeva così il suo stato d'animo: "Non posso amarlo per quello che non è".

E a sua volta amava altri e altre, creando la leggenda della sua bisessualità – oggi leggenda, allora realtà vissuta con naturalezza. Erano poco più che avventure, anche se in alcuni casi scatenò passioni tutt'altro che effimere. Dal momento che, alla fine, per lei Diego veniva prima di ogni altro e prima di ogni cosa al mondo, ben presto le interrompeva, come accadde con Isamu Noguchi, che la amò – rischiando in un paio di occasioni di prendersi una revolverata da Diego – e avrebbe continuato ad amarla per anni, anche da lontano. O con Nick Muray, che traspose tutto il suo amore in alcuni dei più intensi ritratti fotografici di Frida.

Frida aveva cinque sorelle, ma soltanto con una, Cristina, c'era un'intesa totale, una complicità intima e profonda. Cristina, donna di rara grazia, generosa e vitale, aveva potuto realizzare il sogno della maternità ma poi era stata lasciata dal marito ed era tornata ad abitare nella grande Casa Azul di Coyoacán. Cristina, probabilmente, non avrebbe mai voluto tradire Frida, e se cedette a Diego fu essenzialmente per la capacità diabolica del cognato di farsi consolare facendo leva sulla tenerezza femminile: Frida aveva avuto un aborto, lui era disperato, si sentiva solo, e... sfoderò l'intero repertorio delle sue arti seduttive, facendo di Cristina anche la modella di alcuni murales – del resto, è difficile trovare tra le molte figure femminili delle sue opere una che non sia stata sua amante –, conscio per sua stessa ammissione del disastro che stava innescando, perché "più amavo una donna e più la volevo ferire, e Frida fu soltanto la vittima più ovvia di questa mia disgustosa caratteristica".

Quando Frida scoprì Cristina e Diego insieme, provò una nuova forma di dolore nella già variegata gamma delle sofferenze patite:

proprio Cristina, tra tante donne al mondo, tra tante bellezze disponibili, proprio la sorella inseparabile...

Si trasferì in un piccolo appartamento sull'avenida Insurgentes, "il viale più lungo del mondo", avviando una serie di separazioni e ricongiungimenti, culminati nel divorzio e in un nuovo matrimonio: perché, fino all'ultimo, lei e Diego avrebbero continuato a frequentarsi persino nei periodi di più acuto e devastante contrasto.

Col tempo il rapporto con Cristina sarebbe tornato quasi come prima, anche se da alcuni quadri si nota chiaramente che la ferita non si rimarginava: nel dipinto *Memoria*, del 1937, Frida si ritrae con il cuore strappato dal petto, e poi anche in *Ricordo di una ferita aperta*, dell'anno successivo, usa le crudeli ferite inferte al corpo come simbolo di un lancinante dolore dell'anima.

Frida era nata il 6 luglio del 1907, ma per tutta la vita sostenne che il suo anno di nascita era il 1910: non lo faceva per abbassarsi l'età, bensì per sancire che era nata mentre la Revolución scoppiava e travolgeva il vecchio mondo: la prima rivoluzione del secolo e anche l'unica a essere capeggiata da eroi romantici votati alla sconfitta che dichiaravano apertamente di non aspirare al potere, la rivoluzione che più d'ogni altra vedeva coinvolti i protagonisti della cultura accanto agli indios senza terra, agli ultimi degli ultimi... E a combattere in prima fila c'erano le donne messicane, le leggendarie *soldaderas* alle quali Frida si ispirava anche nel vestiario da ragazzina scapestrata – pantaloni, stivaletti e giubba di cuoio –, quando, alle soglie dell'adolescenza, faceva parte di una banda di maschi che, considerando poi il destino di ciascuno, più che una *pandilla* di teppisti era un cenacolo di intellettuali precoci. La sua fu una rivendicazione, un'identificazione totale con quella data fatidica che aveva mutato il corso della storia non solo messicana. Politicamente, la Revolución fu una dolorosa serie di fallimenti e tradimenti, perché i "gattopardi" di sempre furono lesti a fingere cambiamenti di potere affinché nulla cambiasse davvero. Ma la rivoluzione messicana ottenne ben altri successi, più profondi di quanto il miope mondo esterno potesse notare, fu una ventata di rinnovamento culturale sconvolgente: nulla rimase come prima nell'interpretazione dell'esistente, nell'arte, nella letteratura, nei rapporti tra uomini e donne, e se tra i primi produsse personaggi come Diego Rivera, tra le seconde diede vita a memorabili e folgoranti astri di eterna luminosità come Frida Kahlo; la rivoluzione messicana rivelò a se stessa una complessa e multiforme nazione, riscattando i valori delle radici indigene accanto a quelli della modernità nella sua accezione più positiva, recuperando tutto ciò che era stato dimenticato e permettendo a donne come Frida – che era unica ma simile a tantissime altrettanto appassionate ed energiche – di esprimere il "mondo nuovo che si portavano nel cuore" e diventare ciò che sarebbero diventate. Come ha scritto Carlos Fuentes, "nel 1910 il popolo messicano insorse e dilagò su tutto il territorio nazionale, la rivoluzione diede voce a un paese isolato, riconquistò per se stesso i doni invisibili della lingua, del colore, della musica, dell'arte popolare". Di tutto questo Frida era figlia, e per tutto questo ci teneva ad affermare che la sua vera nascita era avvenuta nel 1910.

L'adesione al comunismo rispondeva a un ideale romantico e non certo a una struttura di partito, benché Diego fosse addirittura segretario generale del Partito comunista messicano. Quando si vide accusato di prendere denaro e ottenere meriti dal governo borghese, perché le sue opere murali venivano ovviamente pagate con denaro pubblico – confondendo ancora una volta le risorse della collettività con le elargizioni del potere politico –, mise in scena una grottesca pantomima per ridicolizzare la meschinità dei suoi detrattori: si autoprocessò e si autoespulse, come a voler dimostrare quali nullità fossero i burocrati sedicenti comunisti. Anche Frida lasciò il partito, a cui aveva aderito per pura formalità, ed entrambi rimasero comunisti nel cuore e nei comportamenti. Poi, quando Trockij, al pari di innumerevoli perseguitati politici di mezzo mondo, arrivò in Messico – unico paese che gli diede asilo incondizionato –, il principale promotore dell'impresa fu Diego: convinse il presidente Lázaro Cárdenas, organizzò viaggio e accoglienza, e il vecchio León venne ospitato nella grande Casa Azul... Malgrado i sessant'anni di vita bruciata senza risparmio, Trockij conservava intatta la voglia di affascinare e il desiderio di conquistare. A Frida non sembrò patetico, al contrario: gli permise di sedurla e avvincerla con l'ardore degli ideali traditi – dallo stalinismo – ma non perduti, con l'irruenza dei suoi discorsi interminabili, e addirittura con la tenerezza delle sue lettere d'amore che le faceva scivolare tra le pagine dei libri... e che ogni tanto suscitavano in lei un divertito e turbato stupore per certe frasi decisamente spinte, degne di un adolescente in piena tempesta ormonale ma che, scritte da lui, superavano il confine tra pornografia ed erotismo. "El Viejo León" lusingava e inorgogliva Frida, mettendola al centro dei suoi interessi, ma per lei rappresentava anche il modo più sottile per ottenere una rivalsa intima e tutta sua, una rappresaglia per il rapporto tra Diego e Cristina: quale vendetta migliore che farsi amare dall'attuale idolo politico di Diego?... E per giunta, usando proprio la casa di Cristina, dove si incontravano per salvare le apparenze – anche se quella singolare relazione era ormai nota a tutti, Frida non voleva offendere l'amato Diego – e dove ci avrebbero lasciato per sempre nel dubbio sulla vera natura del loro rapporto.

Frida dal corpo torturato, con la morfina a lenire il dolore fisico e la fiaschetta del brandy sempre a portata di mano, con le energie ormai ridotte a pura forza di volontà, con le lunghe degenze a letto e sulla poltrona, Frida continuava a dipingere e ad ammaliare coloro ai quali si concedeva: cosa c'era in lei, in grado di infondere nel cuore degli uomini amati – anche solo fuggevolmente – un'insopportabile sensazione di vuoto quando decideva di lasciarli? Trockij, sessantenne, leggenda vivente di rivoluzionario e infaticabile agitatore malgrado l'esilio, quando si sentì dire da Frida che tra loro potevano esserci soltanto amicizia e ideali in comune, ma non amore, sembrò smarrirsi e perdere il senso dei propri giorni, al punto che le scrisse una lettera di nove pagine scongiurandola di non lasciarlo. Sembrava l'implorazione di un ragazzo al primo amore infranto.

Trockij, qualche anno più tardi, scamperà miracolosamente a un attentato di sicari stalinisti, per poi soccombere sotto i colpi dell'agente infiltrato Ramón Mercader. Oggi, nella Casa Azul di Coyoacán, rimasta intatta com'era nei giorni in cui Frida la abitava, osservando la miriade di ricordi della lotta, degli ideali politici indissolubilmente legati e mescolati a quelli culturali, sociali, artistici, la scritta VIVA STALIN accanto agli eroi della Revolución, da Emiliano Zapata a Pancho Villa, e sapendo come lei sapeva che Stalin aveva fatto assassinare Trockij, è facile, per il visitatore "straniero", pensare a un'incongruenza, a una contraddizione. Ma non è così. Occorrerebbe innanzitutto conoscere la *mexicanidad*, quell'armoniosamente caotico miscuglio di sentimenti che racchiude le infinite differenze delle popolazioni messicane, e conoscere Frida, donna appassionata che conservò per tutta la vita un ideale allo stato puro, un comunismo romantico, un anarchismo istintivo che puntava su quanto di pulito e sincero poteva esserci nei simboli, cosciente che gli uomini sono immancabilmente riusciti a trasformare i sogni in incubi. E persino quel VIVA STALIN si può immaginare come acuta provocazione in anni che vedevano il "simbolo Stalin" usato come spauracchio per i benpensanti. Se fosse viva, Frida dedicherebbe un autoritratto a Marcos come allora lo dedicò a Trockij, e noi, gli *stranieri*, continueremmo a non capire. Come non c'era contraddizione in Diego quando dipingeva murales a spese dello stato, o accettava un incarico dal Rockefeller Center di New York, e intanto protestava in prima persona contro la politica imperialista degli Stati Uniti, e Frida lo capiva e lo appoggiava, perché così le opere di Diego Rivera sarebbero state immortali e visibili a tutti, non al chiuso dei musei o delle collezioni private, ma in luoghi pubblici, e mentre i governanti passano e scompaiono, i poteri cambiano o crollano rovinosamente, le sue opere sono sempre lì, a narrarci i crimini e le conquiste, le ingiustizie e le esaltanti rivolte, il cammino travagliato di un'umanità dolente, gioiosa, disperata, sporadicamente felice...

Neanche Frida si sentiva in contraddizione accettando – seppur raramente – di dipingere un quadro su commissione, o su semplice richiesta, di qualche "ricco borghese statunitense", ma lo faceva se sentiva un particolare coinvolgimento: come quando ritrasse *Il suicidio di*

Dorothy Hale, che volava da un grattacielo avvolta da nubi di ovatta, quasi fossero un sollievo alle sue sofferenze interiori, e sul selciato rimaneva il suo corpo abbandonato, e il viso di una bellezza viva, finalmente serena, dallo sguardo fisso su chi guarda il quadro, gli occhi aperti sul mondo per l'eternità. Clare Boothe, un'amica di Dorothy che voleva un quadro "in omaggio alla poverina", quando lo vide ebbe un attacco isterico: stava per distruggerlo a forbiciate, ma poi si limitò a disfarsene dichiarando pubblicamente di non aver mai commissionato un simile obbrobrio. Dal momento che del Messico non poteva capire nulla, tantomeno capì qualcosa di quel dipinto carico di dolore condiviso, di comprensione per chi aveva deciso di porre termine a una sofferenza divenuta insopportabile – e spettava solo a Dorothy decidere oltre quale limite cessare di sopportarla –, quindi molto più che un omaggio: una manifestazione di profondo affetto da parte di una donna straordinariamente sensibile, tanto da comprendere cosa avesse provato Dorothy prima e durante e addirittura *dopo* quel volo dal grattacielo... la quiete e la serenità a cui anche lei, Frida, pensava spesso, chiedendosi ogni giorno quale fosse il limite oltre il quale valesse la pena abbandonarsi tra le braccia della Pelona.

Perché Frida era così: "una bomba avvolta in nastri di seta", come la definì André Breton. Ribelle in ogni gesto e sovversiva in ogni pensiero, *convulsamente* bella di una bellezza a molti incomprensibile, Frida dalla voce profonda e la risata dirompente, Frida dagli occhi perforanti, eternamente vivi, che non si sono mai chiusi, che sono rimasti fissi su di noi che la guardiamo negli autoritratti, perché, come ha "dipinto" sul suo diario poco prima di quel 13 luglio 1954, "continuerò a scriverti con i miei occhi. Sempre".

"Amores y desamores"

Il Messico e Frida: un binomio onnipresente e un legame indissolubile, profondo.

Frequentando quel grande paese, Frida si incontra ovunque. Il suo volto dal sorriso un po' *pícaro* e velato di nostalgia compare di continuo e la si riconosce in tanti minimi aspetti della vita quotidiana, oltre che nella variegata *pacotilla* che invade ormai gli angoli più reconditi del paese, dalle *cantinas* ai mercati, dove Frida campeggia persino sulle borse della spesa. Nella capitale, la smisurata megalopoli, la sua memoria artistica e umana ha trovato sia istituzioni, sia singoli individui capaci di valorizzarla e di preservarla. Per nostra fortuna, l'opera di Frida è solo in parte dispersa in collezioni private: la più grande collezionista è stata la filantropa e mecenate Dolores Olmedo, la cui splendida dimora nella zona sud di Città del Messico è oggi uno dei musei più suggestivi al mondo. Qui vivono persino gli ultimi *xo-*

loitzcuintle, i cani aztechi di Frida, rarissimi quanto strani, che la intenerivano forse proprio per il loro aspetto bizzarro.

Per me, che da tanto tempo seguo le tracce di magnifici fantasmi come Tina Modotti e Nahui Olin, l'incontro con Frida è avvenuto fin dai miei primi viaggi in Messico, quando trascorrevo giornate intere nella vasta Casa Azul assorbendone l'atmosfera, osservandone ogni minimo dettaglio che mi aiutasse a immaginare i giorni e le notti della sua impareggiabile abitatrice.

Poi, qualche anno fa, l'amico musicista Andrea Centazzo mi ha proposto di scrivere un copione teatrale per quattro personaggi – Frida, Diego, Cristina e Tročkij; le musiche di scena le avrebbe composte lui. Un progetto ambizioso che purtroppo non ha avuto seguito, nonostante l'impegno del produttore Maurizio Feverati. E siccome non mi rassegnavo a lasciare quelle voci nel cassetto, ho deciso di condensarle nella sola Frida.

Questo monologo deve comunque molto alle suggestioni scambiate con Andrea Centazzo negli incontri bolognesi e nel suo casolare in campagna, tra un viaggio e l'altro di entrambi. In particolare, a lui piaceva l'idea che la pioggia facesse da sottofondo alle parole di Frida, e così è in questo monologo. Frida è l'anima profonda del Messico, rappresenta le sue radici ancestrali e l'ostinato attaccamento alla vita malgrado tutto: nata dalla pioggia nel paese dei cieli azzurri sugli altipiani dominati dai maestosi vulcani, silenti testimoni delle sue passioni e dei suoi drammi.

Nel 2009, il regista Giorgio Gallione ha invitato Chiara Muti a recitare il monologo nel teatro di Lerici: in quella sorta di "anteprima", Frida ha preso voce e corpo nel talento di Chiara Muti affascinando il pubblico.

Scrivere di Frida, conclude sentimentalmente una trilogia dedicata alle donne che furono protagoniste della Città del Messico in quell'epoca di straordinaria intensità creativa postrivoluzionaria: Tina Modotti e Nahui Olin conobbero e frequentarono Frida, sebbene i travagli delle passioni politiche e le scelte individuali le divisero inesorabilmente. Ma la memoria di quegli anni convulsi continua a tenerle indissolubilmente legate nella mia immaginazione. Rivedo Tina e Frida che si conoscono a una manifestazione di piazza, la prima più matura e dai forti ideali che la trascineranno nella rinuncia alla propria vena artistica, la seconda ammaliata dall'aura di rivoluzionaria dell'amica, disposta a considerarla un esempio da se-

guire – che poi non seguirà, quando il cannibalismo finisce per divorare le utopie di entrambe –, e intanto Nahui, immune alle illu-
sioni politiche quanto disposta ad abbandonarsi a quelle più intime, entra a casa di Tina e
osserva le due donne con quegli occhi di rara
luminosità e dal colore cangiante, mentre Frida si sente troppo piccola, insicura e sofferen-
te al cospetto di tanta irruente bellezza... Poi,
l'istinto, il destino, il talento, dimostreranno
che in Frida c'era una forza di volontà supe-
riore, che la renderà la stella intramontabile,
senza tuttavia per questo oscurare le altre. Di-
verse in tutto, ma unite da quel tutto totaliz-
zante che fu il Messico della loro eterna giovi-
nezza, sicuramente, condivisero sensibilità e
dolore, sogni e delusioni, *amores y desamores*.

Indice